Ná Seol go Meiriceá Aimsir an Ghorta!

Scríofa ag
Jim Pipe

Maisithe ag
David Antram

Cruthaithe agus deartha ag
David Salariya

Leagan Gaeilge le
Máire Ní Chualáin

Seachain

Futa Fata

Clár

Réamhrá

Is tusa Brian Breathnach. Is feirmeoir thú atá i do chónaí in iarthar na hÉireann sna 1840idí. Níl sé éasca a bheith ag beathú do chlainne agus ag íoc cánach leis an **tiarna talún***, cé gur áit álainn, shíochánta í Éire. Ach tagann athrú ar gach rud sa bhliain 1845. Scriosann galar mistéireach an barr prátaí bliain i ndiaidh bliana, an bia is mó a bhfuil tú ag brath air.

Socraíonn tú taisteal 5,000 km trasna an Atlantaigh chun imeacht ón nGorta agus chun tosú as an nua. Beidh sibh i mullach a chéile ar long bhréan atá ag ligean isteach uisce. Beidh ort an ceann is fearr a fháil ar thinneas farraige, stoirmeacha, bia lofa, uisce bréan agus an 'fiabhras dubh'.

*Tá míniú ar fáil i gcúl an leabhair ar fhocail a bhfuil **cló trom** orthu.

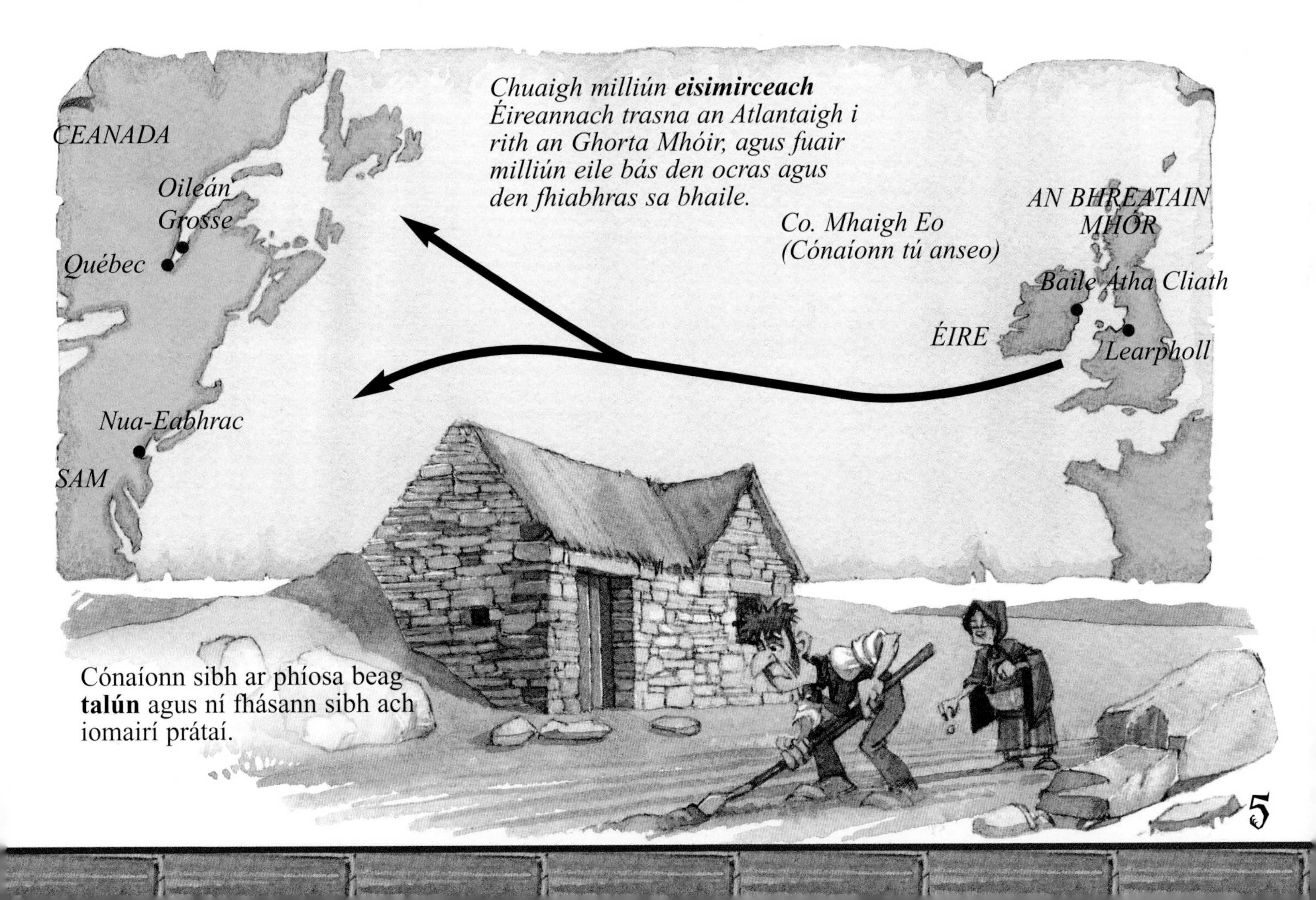

Cónaíonn sibh ar phíosa beag **talún** agus ní fhásann sibh ach iomairí prátaí.

Roimh an nGorta

Ar an ngannchuid

IARTHAR NA TÍRE
Is feirmeoir thú, cosúil le go leor eile. Tá sé deacair aon rud a fhás ar an talamh bocht seo. Leasaíonn feamainn é, ach tá sí an-trom!

Caitheann tú an chuid is mó den am ag obair don **tiarna talún**. Tá an cíos ard, ach bíonn ort é a íoc in am. Ba mhaith leis an **tiarna talún** fáil réidh leat chun go mbeidh an talamh aige do chaoirigh. Ní fheiceann tú riamh é – is i Londain mar Fheisire Parlaiminte a chaitheann sé an chuid is mó dá shaol.

Tá Éire faoi riail Shasana le 600 bliain sna 1840idí*. Éiríonn na hÉireannaigh amach go minic, ach tá sé fánach acu a bheith ag iarraidh buachan ar na hairm mhóra atá ag na Sasanaigh. Sciobann na Sasanaigh talamh ó na Caitlicigh Éireannacha agus tugann siad dá gcairde Protastúnacha é. Sa 17ú haois, chaith na Sasanaigh na Caitlicigh amach dá dtalamh i dTuaisceart na hÉireann agus chuir siad Protastúnaigh ó Albain ina n-áit.

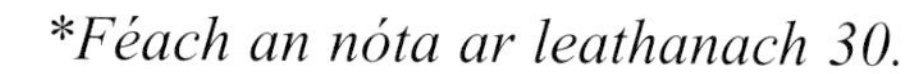
*Féach an nóta ar leathanach 30.

PRÁTAÍ. Ní fhásann aon rud go maith ach prátaí. Is mór is fiú go bhfuil cothú maith iontu. Ní itheann duine as gach triúr in Éirinn aon rud ach prátaí.

IARGÚLTA. Níor imigh tú i bhfad ón mbaile riamh, cosúil le go leor eile. Mar sin féin, tugann cuairteoirí faoi deara cé chomh fáilteach agus a bhíonn na daoine le strainséirí.

Ní raibh cead ag Caitlicigh talamh a cheannach, vótáil, dul chuig Aifreann, claíomh a iompar ná capall arbh fhiú níos mó ná cúig phunt a bheith acu go dtí 1829!
Fág an bealach, a leadaí!
Nod beag
Breathnaíonn an mhuc sin blasta, ach ní le hithe atá sí. Má dhíolann tú í, íocfaidh sí as an gcíos.
AN BAILE SEO AGAINNE. Is seanchró é do theachín. Níl aon fhuinneog air. Níl air ach poll sa díon don deatach. Coinníonn an tine atá i lár an tseomra te sibh. Tá sicíní, lachain agus muc ina gcónaí sa teach freisin.
Tá ocras ar an bhfrancach.
Cosúil linn féin!

Teach na mBocht

Lá amháin i Lúnasa 1845 faigheann tú boladh bréan agus tú ag baint prátaí. Bíonn cuid de na prátaí slaintiúil ach bíonn go leor acu bog, dubh. Tá páirceanna prátaí ar fud na hÉireann ina bpraiseach bhréan. Tá an tríú cuid díobh lofa. Tá an t-ádh ort go bhfuil prátaí agat don gheimhreadh. Ní bhíonn aon bhia fágtha ag do chomharsana an t-earrach dár gcionn, áfach. Is le drogall a thugann siad a n-aghaidh ar theach na mbocht. Bíonn **teach na mbocht** tais, lofa agus plódaithe. Bíonn an bheatha lofa freisin, ach is fearr é sin féin ná bás a fháil den ocras.

CÉARD A THARLA? Níl barúil ag eolaithe céard atá ag tarlú. Cuireann siad milleán ar an aimsir fhuar, ar an mbáisteach throm, ar fheithidí, agus ar nimh atá san aer. Faigheann siad amach 30 bliain ina dhiaidh sin gur fungas a lobh na prátaí.

Céard eile is féidir a ithe?

Úú!

Níl sé i ndáiríre?

NEANTÓGA. Is féidir cnónna, caisearbháin, rútaí, muisiriúin, sméara agus neantóga a ithe, ach ní ag gach am den bhliain.

FEOIL. Is deas, blasta an béile a dhéanfadh madraí, asail, capaill agus éin fhiáine! D'fhéadfá dhá lítear fola a fháil ó bhó, an fhuil a mheascadh le glasraí agus bheadh béile maith agat.

IASC. Níl mórán éisc ar fáil mar go bhfuil na **curacha** beaga ró-éadrom le dul i bhfad ón gcladach. Bheifeá in ann sliogéisc nó feamainn a ithe dá mbeadh tú i do chónaí in aice na farraige.

Nod beag

Imíonn tuismitheoirí as **teach na mbocht** ag lorg oibre i ngan fhios. Bíonn a fhios acu go bhfaighidh a gcuid páistí bia fad is atá siad imithe.

SÁINNITHE! Tugtar bia agus foscadh do dhaoine **i dteach na mbocht** nuair nach bhfuil baile acu féin. Ach tá sé mar a bheadh príosún. Ní féidir leat imeacht as. Bíonn ort a bheith ag cniotáil nó ag briseadh cloch ar feadh an lae. Sractar teaghlaigh óna chéile mar go mbíonn na fir scartha óna mná agus na páistí. Tá rialacha géara i bhfeidhm: níl cead freagra a thabhairt ar ais agus níl cead cainte agus tú ag ithe.

An Gorta Mór

Céard a dhéanfar?

I samhradh na bliana 1846, tá na mílte duine i do cheantar ag fáil bháis den ocras. Tá bailte áirithe tréigthe. Osclaíonn rialtas Shasana stórtha chun arbhar a dhíol ar fud na hÉireann, ach tá sé ródhaor. Bíonn sluaite taobh amuigh de thithe na mbocht ag lorg déirce.

Tugann an rialtas airgead do **thiarnaí talún** chun daoine bochta a íoc chun obair a dhéanamh. Ach bíonn ort fanacht míonna go mbíonn an páipéarachas in ord. Téann cúrsaí in olcas. Tá geimhreadh na bliana 1846-1847 an-fhuar go deo. Básaíonn teaghlaigh ina mbotháin. Eagraítear tithe súip taobh amuigh de thithe na mbocht san earrach. Tugann siad amach brachán nó *stirabout*, anraith déanta as min, uisce agus rís.

LÁN GO BÉAL! Níl ach 24 leaba do 150 buachaill i dteach na mbocht amháin. Tá daoine ag fáil bháis den ocras i dtithe na mbocht sa bhliain 1847.

CIONTACH! Seoltar daoine a bhíonn ag goid go dtí an Astráil. Tá oiread ocrais ar dhaoine go bhfuil siad sásta dul sa phríosún chun bia a fháil.

CÍRÉIB. Bíonn fonn **círéibe** ort nuair a fheiceann tú cairde agus gaolta ag fáil bháis, ach tá an iomarca saighdiúirí Sasanacha thart.

COINNIGH ORT. Bíonn an barr prátaí sláintiúil in 1846, ach tá na **prátaí síl** don bhliain seo chugainn ite cheana féin agat.

Ceannaíonn an Príomh-aire Robert Peel luach £100,000 de mhin bhuí le seoladh go hÉirinn. Ach ceapann an Rialtas gur cheart do na **tiarnaí talún** íoc as an mbia. Tagann cúnamh sa deireadh, ach rómhall. Tá trí mhilliún Éireannach ag fáil bháis den ocras in 1847, cuid acu agus iad sa scuaine don teach súip.

Bealach amach!

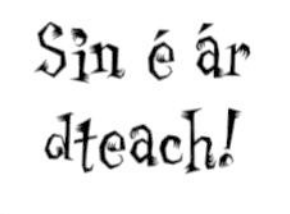

Scaipeann galar ar fud na hÉireann go luath in 1847. Níl na hospidéil in ann dó, agus fágann parlaimint Shasana faoi na **tiarnaí talún** é le déileáil leis. Cabhraíonn cuid de na tiarnaí, ach díbríonn a lán acu na **tionóntaí** bochta mar nach bhfuil siad ag íoc cíosa. Leagtar na doirse le tuanna agus réabtar na tithe.

Bíonn ar theaghlaigh cónaí ar thaobh an bhóthair. Faigheann a lán acu bás den fhuacht. Bíonn cuid acu cuachta le chéile thíos i bpoill agus iad clúdaithe le hadhmad. Scriosann an fungas na prátaí arís go luath. Tairgeann gníomhaire an **tiarna talún** ticéad go Meiriceá duit má fhágann tú an talamh. Glacann tú leis: sin é an t-aon údar dóchais atá agat.

Cén fáth dul go Meiriceá?

BÁS. Faigheann 1.5 milliún Éireannach bás i rith an Ghorta. Úsáidtear **cónraí sleamhnáin** le daoine a chur. Osclaíonn íochtar na cónra agus titeann an corp síos i bpoll mór. Is féidir an chónra a úsáid arís ansin.

DÍSHEALBHÚ. Caitear 49,000 teaghlach amach as a dtithe idir 1849 agus 1854. Faigheann na mílte teaghlach bás ar thaobh an bhóthair i do chontae, Co. Mhaigh Eo.

NUACHT. Tagann litir ó do chol ceathrar i Nua-Eabhrac. Tá Meiriceá go hiontach! Ach ní insíonn sé duit faoi na daoine a fhaigheann bás ar an mbealach anonn, ná na deacrachtaí a bhíonn acu post a fháil thall.

PRÍOSÚN. Tar éis 1848, caitear lucht agóide sa phríosún. Tá trúpaí i ngach áit. Tá eagla ar na Sasanaigh roimh éirí amach, ach tá na hÉireannaigh rólag agus róscaipthe le héirí amach.

Long an ghorta

Imíonn na longa atá ag dul go Meiriceá as Baile Átha Cliath. Bíonn ar do chlann na céadta míle a shiúl le dul ann. D'fhéadfadh rudaí a bheith níos measa: tá daoine ag fáil bháis ar an mbóthar; níl an t-airgead ag daoine eile le dul go Sasana, ná bac le Meiriceá. Tá go leor daoine ón mbaile ag dul ar imirce, agus beidh tú le do chuid cairde.

Tá tú i mBaile Átha Cliath agus tú an-tuirseach, ach beo. Tá a lán gleo agus clampair ar na céanna. Tá do thicéad agat agus téann tú i scuaine atá 3 km ar fhad. Níl deis slán a fhágáil ná a bheith brónach: cuirtear ar bord loinge sibh mar a chuirfí ainmhithe. Tá cúpla mála agat agus potaí do chócaireacht, ach sin an méid.

In imeacht cúig bhliana seolann 5,000 long le **heisimircigh** as Éirinn trasna an Atlantaigh. Tá droch-chuma ar a lán de na longa, ach gur chuir na húinéirí beagán caoi orthu, ag súil le brabús a dhéanamh. Tá an *Elizabeth and Sarah* ag seoladh le 83 bliain!

Ar bord loinge

SLÁINTIÚIL? Tá ar do chlann uile dul faoi scrúdú dochtúra agus a dticéad a stampáil.

MALL! Má bhíonn tú mall, rith, caith do mhála ar bord, agus léim. Tuirlingeoidh tú ar deic, tá súil agat! Tá fear ag fanacht i mbád le breith ar dhaoine nach n-éiríonn leo!

SCRÚDÚ. Scrúdaítear na málaí ar an mbealach. Cuirtear i dtír iad siúd nach bhfuil ticéad acu.

Nod beag

Mura bhfuil ticéad agat, triail duine éigin a mhealladh. Bhí trua ag captaen i gCorcaigh do Patrick Crotty agus thug sé post ar a long dó.

FÁISC ORT. Caitear daoine i mullach a chéile. Má thiteann tú ar an talamh, caitear daoine eile anuas sa mhullach ortsa!

AN ROLLA. Gearrtar fíneáil throm ort má bhíonn paisinéirí neamhliostaithe agat. Fágann captaen an *Amelia Mary* 17 duine ar an trá mar go bhfuil an iomarca daoine ar bord aige.

Slán abhaile

Faigheann tú amach gur go Ceanada atá an long ag dul, ní go Nua-Eabhrac! Tá Ceanada níos saoire. Stopann an long i Learpholl i Sasana. Fanann paisinéirí áirithe i Sasana mar nach bhfuil airgead acu le dul níos faide. Imíonn sibh arís tar éis cúpla lá. Tá málaí go leor goidte faoin am sin.

Tugtar áit bheag bhídeach duit ar bord loinge. Tá an t-ádh ort nach bhfuil agat ach triúr páistí: tá naonúr béal dorais. Níl gach duine atá ar bord bocht: tá cábán ag daoine. Is thart ar 40-45 lá a thógann an turas, ach tógann sé 106 lá ar an *Industry* dul go Meiriceá mar gheall ar stoirmeacha. Faigheann 17 duine bás den ocras ar an mbealach.

Mura leanann tú na rialacha, d'fhéadfadh sé go mbuailfeadh an criú thú.

Ar bord loinge

Is é an captaen an máistir. D'fhéadfaí tú a chrochadh dá ndéanfá gearán leis!

FOLACHÁNAITHE. Ní fhaigheann **folachánaithe** aon ní le hithe ó na captaein agus bíonn orthu déirc a lorg ó phaisinéirí eile le fanacht beo.

BOLADH BRÉAN! Bíonn na paisinéirí thíos faoin deic an chuid is mó den am. Caitear an salachar síos fúthu. Tá an boladh uafásach agus ní féidir leat d'anáil a tharraingt. Tá na mairnéalaigh ceaptha é a ghlanadh ach ní ghlanann.

Cé hé seo?

CODAIL GO SÁMH! Ní bhíonn an *Elizabeth and Sarah* i bhfad imithe nuair a bhriseann na buncanna. Is ar an urlár a chodlaíonn na paisinéirí.

Beo ar éigean

Téann tú ar deic chun do bhéile a chócaráil i mboscaí le hadhmad agus brící. Ní bhíonn dóthain **breosla** ann uaireanta chun an bia a chócaráil, ach tá tú sásta le bia ar bith tar éis uafás an Ghorta. Tá tú ceaptha 7 bpunt (3 kg) aráin, plúir, ríse, min choirce agus prátaí a fháil gach seachtain, ach ní fhaigheann tú leath de seo.

Is féidir tuilleadh bia a fháil má oibríonn tú leis an gcriú. Ach buailfear thú má dhéanann tú botún. Faigheann tú galún (5 lítear) uisce gach lá. Bíonn ort seasamh taobh thiar de líne bhán. Má théann tú thar an líne, ní fhaigheann tú tada.

TINE! Tá sé contúirteach a bheith ag cócaireacht ar an deic: cailltear 9,000 de bharr tinte. Níl mórán bád tarrthála ann le cabhrú leat. Téann an *Ocean Monarch* trí thine 40 km amach ó Learpholl agus faigheann 170 duine bás.

BRIOSCAÍ CRUA. Is é an t-aon bheatha a bhíonn ar longa áirithe ná seanbhrioscaí crua. Tá súil agat go mbéarfaidh paisinéirí ar iasc nuair a bheas sibh gar de chósta Cheanada.

AG GOID. Déan dearmad air! Nuair a dhéanann paisinéirí iarracht bia a thógáil i ngan fhios, bagraíonn an captaen orthu le gunna. Buailtear daoine le fuip freisin.

EAGAR. Bíonn fonn troda ar dhaoine áirithe. Bíonn coiste tofa ar an long le rialacha a leagan síos agus le hargóintí a shocrú.

Nod beag
Ná bí ag caitheamh tobac faoin deic. Bíonn púdar gunna do rialtas na Breataine á iompar ar chuid de na longa!
BÍ SÁBHÁILTE.
Múchtar na tinte a bhíonn ann don chócaireacht nuair a thagann deireadh le ham an bhéile. Doirteann buachaill uisce ar na boscaí tine.
Níl an béile cócaráilte fós!

Stoirmeacha

Is cara mór leat an ghaoth atá do do sheoladh siar go Ceanada. Is féidir léi a bheith ina namhaid freisin. Dúntar na haistí nuair a bhíonn stoirm ann, agus bíonn na daoine sáinnithe sa dorchadas faoin deic. Coinníonn tú greim ar do chlann sa chaoi nach ngortófar iad. Tá sé scanrúil. Cuireann stoirmeacha an long dá cúrsa nó b'fhéidir go mbeadh uirthi casadh ar ais. Ligtear anuas na seolta agus moillíonn sé seo cúrsaí. Bíonn ar an *Creole* filleadh ar Chorcaigh in 1848 tar éis di a bheith trí seachtaine ar an bhfarraige. Tá na seolta agus dhá chrann scriosta ag tintreach.

Ag fanacht socair

ANONN IS ANALL. Caitear gach rud nach bhfuil ceangailte ó thaobh go taobh i rith stoirme: daoine, boscaí, bairillí, agus coirp fiú.

IN UACHTAR. Níl sé an-deas má bhíonn tú i do chodladh i mbunc agus duine tinn os do chionn!

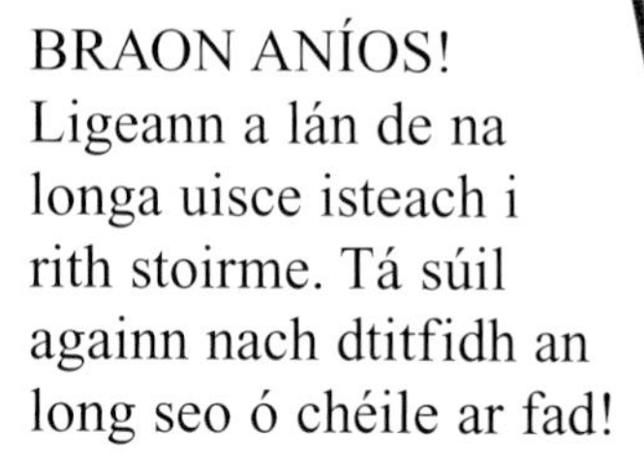

BRAON ANÍOS! Ligeann a lán de na longa uisce isteach i rith stoirme. Tá súil againn nach dtitfidh an long seo ó chéile ar fad!

Nod beag

Ná taisteal sa gheimhreadh más féidir leat. Bíonn na stoirmeacha go dona, bíonn na laethanta gearr agus na hoícheanta fada.

BRÚITE. Cuireann captaen an *Londonderry* 174 duine isteach i gcábán beag i rith stoirme. Plúchtar 72 acu.

SÁINNITHE. Tagann bearnaí idir na plainc de réir mar a bhíonn an long ag rolladh, agus téann éadaí **i bhfostú** iontu. D'fhéadfá a bheith sáinnithe ar feadh uaireanta an chloig dá dtarlódh sé seo.

IMITHE LE SRUTH. Tá seans go mbuailfidh **maidhm** thú agus go n-imeoidh tú le sruth má théann tú suas ar deic.

Cnoc oighir!

Feabhsaíonn an aimsir sa deireadh agus bíonn cead dul suas ar an deic. Tá sé go hiontach imeacht ón mboladh bréan thíos staighre. Imríonn na páistí cluichí. Ach níl sibh slán fós: d'fhéadfadh longbhriseadh tarlú!

Is féidir cnoic oighir a fheiceáil trí theileascóp lá breá, ach ní féidir nuair a bhíonn ceo trom ann. Báitear 50 long idir 1845-1849, nuair a bhuaileann siad cnoic oighir nó carraigeacha. Bíonn na cnoic oighir ciliméadar ar fhad agus 60 méadar in airde. Contúirt eile do na **heisimircigh** bhochta ar a mbealach go dtí a dtír nua!

SLABAÍ. Is rudaí boga, sramacha iad na slabaí a bhíonn ar snámh san uisce. Bíonn smugairlí róin agus **smugairlí an tseoil** le feiceáil freisin.

Ag faire amach!

Ceaptar nach mbeidh an t-ádh ort má fheiceann tú míolta móra. Bíonn deilfeanna agus iasc eitilte le feiceáil freisin. Leanann siorcanna na longa, ag súil le greim bhlasta...

TINE GHEALÁIN. Cheapfá go bhfuil an long ag snámh ar thine san oíche, mar gheall ar na feithidí lonracha atá san uisce. Ní fheiceann ach iad siúd atá in ann íoc as cábán an t-iontas seo.

AR CHARRAIG. In 1850 chuaigh an *Constitution* a bhí ag seoladh ó Bhéal Feirste ar charraig. D'éirigh leis na paisinéirí teacht i dtír ag úsáid rópaí agus a leithéid.

Nod beag
Is fiú breathnú ar imeall na spéire agus tú thuas ar an deic. Tá a fhios agat go bhfuil tú gar do thalamh má fheiceann tú éanlaith.
Nuair a bhuaileann an *Hannah* cnoc oighir, imíonn na mairnéalaigh leo i mbád tarrthála agus fágtar na paisinéirí ansin. Dreapann siad suas ar an gcnoc oighir fad is atá an long ag dul go grinneall. Fanann siad le chéile, agus tar éis 15 uair an chloig sábhálann long eile iad. Cé go sábháiltear 129 acu, faigheann a lán acu bás leis an bhfuacht freisin.
Ní thagann siad chomh fada seo ó thuaidh de ghnáth.

Na 'longa báis'

Tá an aimsir feabhsaithe agus tá cúrsaí go maith, ansin tosaíonn an ruaille buaille. Faigheann duine bás le fiabhras agus scaipeann an aicíd go tapa thíos faoin deic. Bíonn na paisinéirí a bhíonn thíos sa dorchadas leis na daoine tinne scanraithe. Bíonn siad ina ndúiseacht ar feadh na hoíche ag éisteacht leo ag olagón.

Níl na daoine in ann an fiabhras a throid mar go bhfuil siad lag leis an ocras fós, go mór mór na páistí agus na seandaoine. Is mór an trua daoine a bheith ag fáil bháis chomh gar do Mheiriceá.

THAR BORD. Léimeann daoine thar bord loinge mar go bhfuil siad as a meabhair ag an bhfiabhras.

CRIÚ AR IARRAIDH! Tá fiabhras ar chriú an *Looshtauk*. Níl aon duine in ann an long a sheoladh ach an captaen agus a **leathbhádóir**, le cabhair ó phaisinéirí.

SCRIOSTA. Faoin am a shroicheann an *Virginius* Meiriceá, bíonn 158 duine básaithe agus fiabhras ar 106 eile. Ní bhíonn ach ochtar sláintiúil ag deireadh an turais.

UISCE BRÉAN. Ní chuidíonn an t-uisce bréan a bhíonn ar bord leis an bhfiabhras. Bíonn blas lofa air agus níl sé sábháilte é a ól.

Faigheann a lán daoine bás gach lá. Castar na coirp in éadach seoil agus caitear i bhfarraige iad. Ba cheart go sroichfeadh 4,500 paisinéir Montréal in Iúil 1847, ach básaíonn 800 ar an mbealach agus tá 800 tinn le fiabhras. Ní hionadh go dtugtar 'longa báis' ar na báid.

Oileán an Bháis

Tuigeann tú go bhfuil tú gar don chósta nuair a fheiceann tú longa eile. Scaipeann an ceo agus ritheann gach duine atá in ann suas ar an deic. Tá talamh ar an dá thaobh! Ach ní mhaireann an dóchas i bhfad. Bíonn ar gach paisinéir dul faoi scrúdú dochtúra sula dtugtar go Québec iad mar gheall ar an bhfiabhras. Tá 20 soitheach eile ag fanacht leis an scrúdú céanna. Bíonn an scrúdú ar Oileán Grosse, atá 5 km ar fhad agus 1.5 km ar leithead. Níl an t-ospidéal in ann do na sluaite: scaoiltear le daoine agus scaipeann an fiabhras. Tá tusa agus do chlann beo fós!

Uafás ar Oileán Grosse

COIRP AR SNÁMH. Tá na longa lán le daoine tinne agus le coirp. Caitear coirp thar bord go minic.

OTHARCHARR? Tugann báid bheaga na **heisimircigh** i dtír. Caitear daoine tinne amach ar an trá. Déanann siad a mbealach go dtí an t-ospidéal, má tá siad in ann.

LÁN GO BÉAL. Tá 850 othar san ospidéal beag, tá 500 eile a bhfuil fiabhras orthu, agus 13,000 ag fanacht le scrúdú ar bord loinge. Tógtar campaí go tapa, ach cuirtear na daoine slaintiúla agus na daoine tinne le chéile agus scaipeann an fiabhras arís. Ní dhéanfaidh tú dearmad go brách ar éagaoin na ndaoine atá ag fáil bháis.

Nua-Eabhrac

Tá tusa i gCeanada, ach tá leath na **n-eisimirceach** Éireannach imithe go Nua-Eabhrac, 650,000 duine ar fad i rith an Ghorta. Éiríonn níos fearr leo siúd a théann go Nua-Eabhrac ná go Ceanada. Tá rialacha níos géire ar longa Mheiriceá agus tá an bia níos fearr.

Ceann scríbe

Níl mórán oibre i Québec do dhaoine nach bhfuil Fraincis acu. Tugann tú aghaidh ar Mheiriceá, cosúil le go leor Éireannach eile. Is fada an t-achar de shiúl na gcos é. Bíonn tú traochta nuair a shroicheann tú Nua-Eabhrac. Ach is maith an tír í Meiriceá má tá tú stuama. Oibríonn do bhean i dteach daoine saibhre, agus oibríonn tusa ar na bóithre iarainn. Ní dhéanfaidh tú dearmad choíche ar an nGorta ná ar na longa báis, ach d'éirigh leat féin agus le do chlann an bealach a dhéanamh agus tosú as an nua i Meiriceá.

FUACHT. Ar a laghad, is sa samhradh a thaisteal sibhse. Gheobhaidh 15,000 **eisimirceach** bás i rith an gheimhridh chrua a bheas i Meiriceá Thuaidh.

Bí san airdeall!

ÉASCA PÉASCA! Tá na dugaí lán le **caimiléirí** a ghoidfidh do chuid málaí nó a bhainfidh airgead mór amach chun iad a iompar duit. Bíonn veisteanna uaine orthu chun **eisimircigh** na hÉireann a mhealladh!

UAFÁSACH. Bíonn ticéid bhréige á ndíol ag **caimiléirí** ar fud Mheiriceá. Nuair a dhiúltaíonn fear ticéad a cheannach, briseann duine de na **caimiléirí** a ghiall!

OBAIR CHRUA. Éiríonn **eisimircigh** tinn mar go dtosaíonn siad ag obair agus iad fós lag. Bíonn ar chuid eile obair chontúirteach a dhéanamh, mar shampla pléascáin a chur amach ar na bóithre.

N.I.N.A. Ní i gcónaí a bhíonn fáilte roimh na **heisimircigh**. Bíonn siad bocht agus tinn, agus is minic an comhartha 'No Irish Need Apply' le feiceáil.

Gael-Mheiriceánaigh

Bhí níos mó Éireannach i Nua-Eabhrac in 1850 ná mar a bhí i mBaile Átha Cliath. Deir 44 milliún Meiriceánach sa lá atá inniu ann go bhfuil mianach Éireannach iontu.

D'imigh sinsir Henry Ford, an déantóir carranna, as Éirinn in aimsir an Ghorta. Bhí fuil Éireannach in John F. Kennedy, Richard Nixon, Ronald Reagan agus George W. Bush, mar a bhí in Daniel Boone, Eugene O'Neill agus an réalta scannáin, John Wayne.

John F. Kennedy

Ronald Reagan

George W. Bush

Foclóirín

Ba chuid de Ríocht Aontaithe na Breataine Móire agus Éire iad Sasana, Albain, An Bhreatain Bheag agus Éire idir 1801 – 1922. Bhí an ríocht iomlán faoi cheannas rialtas na Breataine i Londain, cé go raibh na Sasanaigh ag iarraidh Éire a rialú ó na Meán Aoiseanna ar aghaidh. Tá Éire neamhspleách ó 1922, ach gur cuid den Ríocht Aontaithe é Tuaisceart na hÉireann. Tugtar 'Poblacht na hÉireann' ar Éire ó 1949.

breosla Stuif a chuirtear ag dó i dtine le teas a dhéanamh.

caimiléir gadaí, duine a thógann rudaí ó dhaoine nach bhfuil tuillte aige, le scéalta glice go minic.

círéib Troid mhór, in áit phoiblí de ghnáth, a thosaíonn go minic mar go bhfuil an pobal míshásta lena rialtas.

cónraí sleamhnáin Cónra ar féidir an clár íochtair a bhaint aisti chun an corp a chaitheamh síos san uaigh. Is féidir an chónra a úsáid do choirp eile ansin.

curach Bád beag iascaireachta déanta as leathar nó canbhás. Tá sé chomh héadrom go mbeadh duine amháin in ann é a iompar.

díshealbhú Iallach nó brú a chur ar dhuine a bhaile a fhágáil, go dlíthiúil nó go neamhdhlíthiúil.

eisimirceach Duine a fhágann tír amháin agus a imíonn chun cónaithe i dtír eile

folacháнaithe Daoine nach n-íocann as ticéad agus a bhíonn ar bord loinge i ngan fhios.

gaimbín Duine a dhíolann earraí ar cairde le daoine bochta agus a ghearrann ús ard orthu.

i bhfostú greamaithe.

leathbhádóir (príomh-mháta) An cúntóir a bhíonn ag an gcaptaen loinge.

maidhm tonn mhór ar an bhfarraige.

prátaí síl Prátaí nach n-itear, ach a choinnítear le cur an bhliain dár gcionn.

smugairlí an tseoil Tá siad cosúil le smugairlí róin, ach gur grúpa ainmhithe iad a chónaíonn le chéile. Tá drochgha acu.

teach na mbocht Áit chónaithe do dhaoine bochta. D'fhaighidís a gcuid béilí ann, agus bhí orthu obair áirithe a dhéanamh.

tiarna talún Duine ar leis teach nó píosa talún agus a fhaigheann airgead ón tionónta, chun cead a thabhairt dó siúd an teach nó píosa talún a úsáid.

tionónta Duine a íocann airgead (le tiarna talún go minic) le cead a bheith aige teach nó píosa talún a úsáid.

Innéacs